Seán agus a Chamán

le

Pádhraig Ó Giollagáin agus Mike McCarthy

COMHAR TEORANTA
5 Rae Mhuirfean, Baile Átha Cliath 2

Is maith le Seán Ó Neachtain sacar
Ach ní rósháasta atá Jim, a athair;
'***Caitheann tú an lá ar fad, a Sheáin,***
Ag féachaint ar chluichí ar an teilifíseán!'

'***A Dhaid, beidh mé lá im' imreoir sacair***
Do Man. United ag Old Trafford–'

B'iománaí Daid nuair a bhí sé níos óige
Nár imir riamh i bPáirc an Chrócaigh
Ach a chaith an geansaí gorm is oráiste
D'fhoireann na nGealt* i dTiobrad Árann–
Foireann fhiáin, pocaidí gabhair*,
'Chuile dhuine glan as a mheabhair,
Ar shleasa an tsléibhe sin Gailtí Mór
Nach mbuafadh cluiche go deo na ndeor,
Ach sin scéal eile. '***Seán, faigh do chóta!***
Táimid ag dul ar thuras sa mhótar.'

'***Beidh Man. United agus Real Madrid***
Ag imirt don Chorn nóiméad ar bith–!'

'***A Sheáinín, múch an teilifíseán–***
Ag do Mhama is do dheirfiúr Cáit fág slán;
Faigh do phitseaimí* is do scuaibín fiacal–
Beimid ag fanacht cúpla oíche!'

Is le ....
....
....
an leabhar seo

Do Alexander Pilkington
agus
i gcaoinchuimhne Helen McCarthy

Tá Comhar faoi chomaoin ag Bord na Leabhar Gaeilge as tacaíocht airgid a chur ar fáil le haghaidh foilsiú an leabhair seo.

Foilsithe ag Comhar Teoranta, 5 Rae Mhuirfean, Baile Átha Cliath 2

ISBN 0-9539973-3-2

Obair ealaíne: Mike McCarthy Leagan amach: Ciarán Ó Tuama Clódóir: Johnswood Press

Ní fada go raibh an carr ar an mbóthar–
Seancharr Morris le cnag* sa mhótar–
A chogain* na mílte go mall mín réidh:
Cill Dara, Port Laoise, is ar ball Ros Cré,
Gur éirigh an bóthar ós a gcomhair,
Agus chonaic siad sleasa* an Ghailtí Mhóir.

***'Bród a bheadh orm, a Sheáin, ní fearg
Dá gcaithfeá lá an geansaí dearg
Ós comhair na mílte ag Old Trafford
Mar Denis Irwin nó Roy Ó Catháin–
Ach ba mhó i bhfad mo bhród 's mo mhórtas
Dá bhfeicfinn tú ag imirt i bPáirc an Chrócaigh
Ag cur sa chúl an tsliotair leathair
Mar Chriostóir Ó Rinn nó Labhraidh Meachair,
Agus chuige sin níor mhór camán
Éadrom, láidir i do láimh–
Is chun camán a dhéanamh níl siúinéir* beo
Níos fearr, a Sheáin, ná do dhaideo–'***

Seo iad ag dul suas an gleann,
Is thuas ansin, i measc na gcrann,
Tá teach ceanntuí* Dhaideo aoldaite*–
Tá Seán leathmharbh ag an ngluaisteán creathach*–
Sin Daideo anois ag an leathdhoras
Ag fáiltiú rompu tar éis a dturais!

Fuair Mamó bás go hóg, mo léan,
Agus cónaíonn Daideo anois leis féin
Sa teachín gleoite aoldaite ceanntuí
Thuas an gleann ar shleas Ghailtí.
Is siúinéir é Daideo le lámha draíochta
Is tá aithne air ar fud na tíre
Mar is é a dhéanann na camáin is fearr
(Tagann orduithe chuige ó thíortha thar lear).
Rinne sé camán do Chriostóir Ó Rinn
Lena gcuireadh sé sliotair trí mhogaill an lín;
Do Jack Ó Loinsigh, do thriúr Chlann Rackard,
Do Labhraidh Meachair, agus Mickey Mackey,
Do thosaithe cosúil le Tony Doran,
Jimmy Barry Murphy agus Martin Storey,
Agus camán aclaí* spriongach* éadrom
Don Ghaillimheach gaisciúil Feargal Ó hÉalaí.

Do na cúil báire dhéanadh sé camáin mhóra
A chuirfeadh sliotar ó chearnóg go cearnóg:
Do Sheánaí Duggan, Nollaig Skehan,
Do Bhrendan Cummins sa bhliain 2000–
Camáin a stopfadh piléar* ó ghunna,
Fiú urchair phionóis ó imeall an bhosca.

Fáisceann* Daideo Seán Óg le grá;
Ní fhaca sé é le fada an lá.
Annamh a théann sé go Baile Átha Cliath–
Is fearr leis go mór bheith anseo ar an sliabh.
Tá tine sa ghráta agus dinnéar breá réidh
Mar déanann Daideo chuile shórt dó féin.
Insíonn Seáinín a nuacht –faoi Cháit is faoi Mham–
Go screadann a Dhaid: '***Héidh! Ó bhó–féach an t-am!***'

Tá an ghealach ag lonradh ar shliabh is ar ghleann
Agus loinnir shíógach* ar sceach is ar chrann–
Tá Seáinín ag neadú i gclúmh na hadhairte*
I mbrionglóid éachtach faoi Man. United.

An mhaidin dár gcionn,
an ghrian ag spalpadh,
An leite ite is na gréithre glanta,
Aighthe, lámha nite
ag an gcaidéal* sa chlós,
(Déanann Daideo chuile
shórt ar an sean nós)
Bhí sé in am dóibh
tabhairt faoin ngnó
A thug anseo iad : labhair Daideo:

'Déanfaidh mé camán duitse, a stócaigh,
A thógfaidh tú cinnte go Páirc an Chrócaigh.
Ar dtús an t-ábhar: crann fuinseoige*–
Tá sé chomh maith againn dul sa mhótar!'

Chun bóthair chuir an triúr gan mhoill;
Seo anois iad ag siúl sa choill.
Níl uatha ach fuinseog amháin
A dhéanfadh camán ceart do Sheán–
Fuinseog a lúbann gar don fhréamh*
Ach a fhásann díreach suas go spéir
I ndiaidh na lúibe, mar is é an snáithe *
A dhéanann camán lag nó láidir.
Tá fuinseoga thart ag fás go tiubh
Ach an fhuinseog cheart níl ar fáil inniu.

Fágann siad an choill faoi ghruaim;
'***Sin é–an fhuinseog atá uaim!***'
Bhéic Daideo –sea, tá lios sa pháirc
Ar chiumhais* na coille –dún nó ráth.
As claí an dúin féach ag fás
Fuinseog ghleoite le lúb don bhas!
Cúpla stróic den sábh* beag géar–
Tá an fhuinseog sínte ar an bhféar;
Crosghearradh mear; ar ghualainn Dhaid
Tá cabhail* na fuinseoige de phreab.

Ar ais arís go dtí an carr
'***Ábhar camáin le bas níos fearr***
Ní fhaca riamh!' a dúirt Daideo.
'***Bas is cos is snáithe go seoigh!***'
Leis an sábh ciorclach ghearr Daideo an planc
Agus línigh sé an camán go cruinn le peann.
Ghearr sé, scríob sé, shnoígh sé*, lom
An t-ábhar camáin sin le fonn–
Scian Stanley, tarrscamhaire*, greanpháipéar*,
plána–
Tháinig an camán chun beatha ina lámha.
Chuir sé an camán i nglaic an stócaigh:
'***Sin camán a thógfaidh tú go Páirc an***
Chrócaigh.'

Buachaill béasach is ea ár Seán–
Ní dúirt sé '***Níl suim agam san iomáint–***
Mo bhrionglóid bheith im' shárlaoch sacair
Do Man. United ag Old Trafford–'
Ach '***Gura maith agat, a Dhaideo, as an gcamán breá–***
Múinfidh mo Dhaid dom conas é a láimhseáil.'

Isteach leo arís sa ghluaisteán creathach–
Mílte fada go dtí an chathair–
Baineann siad an baile amach go slán
Is tá Seán ar ais ós comhair an teilifíseáin.

Ach maidin Sathairn, moch go leor,
Tá Seán agus Daid ar an rothar mór
Go Bushy Park i dTír an Iúir
Chun triail a bhaint as an gcamán nua.
Tá faichí* go leor i bPáirc na Sceach–
Láithreach tosaíonn Daid ar a cheacht;
Ar dtús an sliotar ar thalamh a bhualadh,
An camán a ardú ós cionn do ghualainne–
Sliotar a ardú 's a bhualadh san aer
Le croí bhas an chamáin, ag tarraingt go tréan!
Ansin an poc fada is an gearradh taobhlíne
Is dúbailt san aer is an sliotar go cuí duit–
Iad seo ar fad rinne Daid –ag imirt go tréan–
Scéal eile ar fad bhí ag Seáinín, mo léan.

Sea, do tharraing sé, bhuail sé, chomh tréan is bhí ann–
Bhain ailp* as a theanga, bhí a iarracht chomh teann–
Ach sliotar níor bhuail sé an mhaidin ar fad–
Ní bheadh sé níos measa dá mbeadh sé ina dhall–
Tharraing sé arís; níor bhuail sé ach aer–
Sin é an sliotar ina shuí ar an bhféar!

Bhí díomá ar Dhaid agus dúirt sé leis féin:
'***Ní Ring atá agam, ná Carey, D.J.***'
'***Ní chreidim é seo–***' trína chéile dúirt Seán.
'***Sciorrann an sliotar as slí mo chamáin–***
Tá an camán faoi gheasa* ag slua na síóg
Ón lios sin sna nGailtí inar fhás an fhuinseog.'

'Sin ráiméis, a bhuachaill; as cleachtadh atá tú;
Sáigh* an camán faoin sliotar agus tóg é in airde.
Sin é, anois tarraing, agus ná dún do shúile!'
Ach sciorrann an sliotar go glic thar a ghualainn.
Tharraing Seán, bhuail sé, le dua is le stró;
Threabh sé* an pháirc sin níos fearr ná feirmeoir–
Cnapaí* móra cré chuir ag eitilt san aer–
Ach i gcónaí tá an sliotar ina shuí ar an bhféar.
Nuair a thriail sé rith sóló níor rith slat amháin
Gur thit an diabhal sliotar de bhas an chamáin!
Leis an ngearradh taobhlíne do mhéadaigh a strus–
Níor bhuail sé an sliotar ach bhuail sé a chos.

Tráthnóna is é ag cleachtadh sa pháirc sin leis féin–
–Leis féin ach an capall tá ag iníor* an fhéir–
Chaith sé an camán ar an dtalamh le crá;
Mhionnaigh* : '***Sliotar ní bhuailfidh mé go deo ná go bráth!***'
Amach as a chloigeann do phreab a dhá shúil
Mar d'ardaigh na créatúir seo a chamán chun siúil–
Síoga cinnte as a leabhar scéalta sí–
Seo iad ar rith sóló agus Seáinín ina ndiaidh:

'Héidh, sin é an camán a rinne Daideo!
Tugaigí mo chamán ar ais dom go beo!'

Beireann siad an camán trasna na páirce
Chuig an capall is cuireann siad an camán ina lámha–
Lámha ag capall? Ní capall ar fad é–
Ach– fear le ceann capaill, le fírinne, fathach.

Tá Seán –ní nach íonadh– ar crith ina bhróga.
'***Ní capall mé ach Púca, im' Rí ar shíóga***
An leasa sna Gailtí inar fhás an fhuinseog
A leag sibh, tú féin, do Dhaid's do dhaideo–
Is a Sheáinín, a chara, nach eol duit an gnás:
Nuair a leagann tú crann cuir crann eile ag fás
Ina áit –go mbeidh dídean ag créatúir an aeir!
Ní híonadh go bhfuair tú an crá seo go léir.'
D'fhéach sé ar Sheáinín go cairdiúil cineálta
Agus chuir sé an camán ar ais ina lámha.
I nguairneán sí gaoithe* sciorr siad as amharc
Is bhí Seáinín leis féin ar imeall na faiche.

Labhair Daid le Daideo ar an bhfóinín póca:
'***Ní fheicfear ár Seáinín i bPáirc an Chrócaigh–***
Sa sacar amháin atá a spéis
Is a cheainnín fionn tá lán de ráiméis
Faoi shíóga ar mire* mar gur leagamar a gcrann
Is ní féidir leis an smaoineamh sin a chur as a cheann.'

Smaoinigh Daideo is dúirt sé: '***Sea, seans gur fíor–***
Mar rinne mé an camán sin as fuinseog sí–
Nuair a leagann tú crann nach é an gnás*
Crann eile a chur ina áit ag fás?
Ní híonadh go bhfuil fearg ar shíóga an leasa,
Is mura ndéanaim rud éigin beidh cúrsaí níos measa.
Ní maith an bheart fearg a chur ar shíóga–
Sea, chuirfidís mallacht* ar mo chamán fuinseoige.'

Chuaigh Daideo ag cuartú ar maidin sa choill;
Buinneán fuinseoige* fuair Daideo gan mhoill–
Fuinseog óg láidir le duilleoga glasa
A shásódh, shíl sé, síóga an leasa.
Le spád agus sluasaid do chuir sé an planda
Sa bhearna a bhí fágtha ag an bhfuinseog a leag sé.
Caithfidh go raibh na síóga sásta
Mar d'imigh an mí-ádh ó Sheáinín ón lá sin.

Tá múinteoir ag Seáinín, Cailc an Máistir,
Nach suim leis mórán ach iománaíocht;
D'imir sé do Cheatharlach fadó fadó–
I gcluichí scóráil sé cúl nó dhó–
Ach tá Ceatharlach beag –níl na foirne ann–
Is chun glóir a fháil tá Cailc bocht ag brath
ar a rang.

Scoil Ghráinne is ainm do scoil seo Sheáinín
(Ón mbanfhoghlaí sin Gráinne Uí Mháille).
Tá foireann acu nach bhfuil rómhaith–
Anuraidh níor bhuaigh siad fiú cluiche sa
tsraith.
Tugann gach aoinne na Gráinneoga orthu;
Níl aoinne ag súil le mórán uathu–
Tá geansaithe acu sa bhfaisean reatha* –
Dathanna uilig an bhogha ceatha.
Téann siad go cluichí i seanbhus creathach
A scairteann spréacha* tine is deatach.

'***Ciúnas, a bhithiúnaigh!****' Lig Cailc béic.
'***Tá fógra agam! Ciúnas! Éist!***
Am lóin amárach, a leisceoirí,*
Beidh cluiche againn le Rang a Trí
As Scoil Naomh Iósef i mbéal an dorais;
Tá gach aoinne sa rang seo ar an bhfoireann.'

Dé Máirt go mór in aghaidh a thola
Bhí Seáinín ag imirt ar fhoireann na scoile–
Bhí sé ar crith ansin sa chlós–
Sliotar amháin níor bhuail sé fós–
Bhí an camán ag sleamhnú as a lámha
Agus eagla air go mbrisfí a chnámha
Ag rógairí Iósef –fíorbhithiúnaigh!
Na clocha géara do ghoin* a ghlúna–
Íde béil ag teacht ón múinteoir:
'***Sheáinín Neachtain, 'bhfuil tú id' dhúiseacht?***'
Ach seo an sliotar tríd an láib;
Do tharraing Seán –aon stróic amháin–
Buille láidir, fíochmhar, ciotógach*–
Mioruilt– bhuail an bas an liathróid!
Mar sheabhac ag cuaradh tríd an aer
Do sheol an sliotar suas sa spéir
Idir chuaillí, thar thrasnán!
'***Héidh! Cúilín! Scóráil mé!***' a scréach Seán.

Ag feitheamh le comhghairdeas* bhí sé–
A chairde imeartha ag plódú* timpeall,
Ag léim sa mhullach air, barróga, póga–
Ach ní chloiseann sé ach racht fonóide*
Mar is é atá déanta ag Seán, mo léan,
Ná cúilín a chur thar a thrasnán féin.

Ar ghruanna Sheáinín bhí deora náire* –
Ar an fhoireann eile fonóid is gáire.
Thuig Cailc an máistir a dhíomá* –
Ar a ghualainn leag sé lámh–
Chuala Seán a chogar trín gceann faoi*,
'***Nár bhuail tú é –don chéad uair riamh!***
A Sheáin, bíodh misneach i do chroí,
Is buail an sliotar sin arís go groí.'

Tosaíonn na cleachtaithe don Chorn;
Ár ndóigh tá Seáinín ar an bhfoireann.
D'éirigh leis an sliotar ar thalamh a bhualadh,
An camán a ardú ós cionn a ghualainne–
An sliotar a ardú 's a bhualadh san aer
Le croí bhas an chamáin –ag tarraingt go tréan–
Ansin an poc fada is an gearradh taobhlíne
Is dúbailt san aer is an sliotar go cuí duit–
An t-urchar píonóis mar philéar as gunna
Go mogaill an lín ó imeall an bhosca;
Conas sliotar a sciobadh id' dhorn le léim
Agus pointe a bhuachan le stróic dheas nó chlé–
Nuair a rinne rith sóló níor thit an liathróid
Ach d'fhan ar a chamán mar ubh ar spúnóg.
Sheasadh sé an fód in aghaidh mín agus garbh;
Nuair a dhéanadh air bulaí chomh fíochmhar le tarbh
Thugadh guaille do ghuaille, agus orlach níor ghéill–
(Go minic tuilleann seasamh dá leithéid poc saor).

I gcaismirt* na gcamán níor bhris an fhuinseog;
Maith a chruthaigh an camán a rinne Daideo.

Ar chomórtais Chumann Lúthchleas Gael
Tá Sraith na mBunscoileanna* –Roinn a Sé–
Is í Roinn a hAon an dream is fearr–
Le Roinn a Dó is beag tá cearr–
Tá foirne maithe i Roinn a Trí–
Tá Roinn a Ceathar lag gan bhrí–
Ar Roinn a Cúig go bhfóire Dia
Ach is measa Roinn a Sé ná iad.
Tá an Roinn seo thar a bheith garbh–
Is miorúilt í nach bhfuil aoinne marbh
Fós –ná fiú san ospidéal–
Tá scoil Sheáinín i Roinn a Sé.

D'imigh an bhliain –uafásach crua–
Cluichí do chaill siad agus cluichí do bhuaigh.
I Roinn a Sé tá gach foireann fíochmhar–
Is cuma leo cá mbíonn an liathróid–
Aimsigh an fear agus tarraing anuas é–
Scoilt a chloigeann nó bris a rúitín* –
Sáigh* sna heasnacha soc an chamáin,
Tabhair sonc le glúin idir na slinneáin* –
Nó buille a d'fhágfadh na loirgne* gorm–
Ní abraíonn siad riamh '***Tá aiféala orm–***'
Is má thriaileann tú sliotar a bhaint as an aer
Bí cinnte a chara go gcaillfidh tú méar!

Tá na hAdhlacóirí* ann ó Ghlas Naíon
A chuirfidh tusa sé throigh síos–
Na Búistéirí ó Bhaile an Bhóthair
As scoil ar a dtugtar an Clochar gan Trócaire–
Deilgne* Dheilginis a fhágfaidh tú cráite
Le píosaí stáin agus tairní sáite–
Rásúir Ráth Mhaoinis a ghearrann scornaigh,
Foireann ó Rialto darb ainm na Rollóirí–
Na Naigíní ó Sallynoggin
A fhágfaidh tú i do shlisní bagúin;
Fuil-óltóirí Fhionnghlais, i gcultacha Dracula–
Driollairí Dhún Droma, Toirc* Thamhlachta,
Meilteoirí* Mharino, Broic* Dhomhnach Broc;
Crochadóirí* Chroimghlinne; deirtear gur chroch
Siad réiteoir ón trasnán nár ghéill dóibh cúl
Ach Canablaigh Chabrach orthu do bhuail–
Gráinneoga* na Gráinsí, foireann Sheáinín,
Is na Killalots, Básairí Lána an Bháisín:
Sa tsraith níl foireann níos scanrúla
Is is measa fós a lucht leanúna.

Is fíor go raibh an tSraith go hainnis
Ach ní hionann sraith is comórtas ceannais;
Bronntar pointí má bhuaitear cluiche–
Ag deireadh déantar na pointí a shuimiú.
Nuair a scríobhadh na pointí ar chlár dubh mór
Bhí dhá fhoireann chun tosaigh a bhí ar aonscór–

Foireann Sheáinín, Gráinneoga na Gráinsí,
Is na Killalots, Básairí Lána an Bháisín.
Beidh cluiche ceannais idir an dá fhoireann
Agus ar na buaiteoirí bronnfar an Corn.

Tá sceitimíní* ar Chailc an múinteoir
Seans a bheith ag na Gráinneoga an Corn a bhuachan–
Seans siúráilte nach mbeadh acu go deo
Murach Seáinín ár laoch agus camán Dhaideo–
Camán draíochta, más draíochta a bhí,
An camán déanta as an bhfuinseog sí
A bhí ag fás sa lios sin ar shleas Ghailtí.
Don chluiche mór ba é Seán an captaen.
Nach ar Dhaid bhí bród is éirí in airde!
'***Sin mo bhuachaill!***' deireadh sé lena chairde.
Labhair sé le Daideo ar an bhfóinín póca:
'***Beidh an leaid sin fós i bPáirc an Chrócaigh.***'

Lá éigin beidh Seáinín i bPáirc an Chrócaigh
Ach díreach anois ní bhraitheann sé cróga;
Go deimhin tá scanradh ina chroí
Roimh fhoireann úd na mBásairí.
Cuireann an t-ainm fiú ar crith é–
Caillfidh na Gráinneoga an cluiche cinnte
Mar is arrachtaí* iománaíochta foireann na gKillalots
Nach mbuann le scileanna ach le hár is slad*.

(Is séipéal Cill–ba Naomh é Lot
Ón mBíobla, mar a mhínigh Cailc)
Ach is beag den naofacht atá in imirt
Na mBásairí –an fhoireann ó Ifreann–
Ní naoimh na Básairí ach diabhail
Óna dteithfeadh iománaí
ar bith ina chiall.

Bhí plaosc is croschnámha* ar gach geansaí
Is chun fuil a tharraingt spící is tairní*,
Lann* mar an sleán bheadh ag fear móna,
Sáil* iarainn bhrisfeadh cnámh do bhóna
Ar gach camán, is adharca tairbh*
A d'fhágfadh matadóir leathmharbh
Ar gach clogad –nós na Lochlannach fadó–
Dream barbarach gan aon agó.

Chomh maith do phéinteáil siad a ngruanna
Chun iad féin a dhéanamh níos scanrúla–
Dá mb'fhéidir é, séard atá á rá agam
Nárbh fhéidir ar ghránnacht iad a shárú.
Arsa Cailc an máistír: '***Is mór an trua***
Nach ar ár bhfoireannsa atá Brian Bórú.'

Ach dá dhonacht an fhoireann agus theithfeadh gruagaigh*
Uatha, ba mheasa fós a lucht leanúna–
Tuismitheoirí, páistí, fiú sa phram,
Seanaithreacha, mamónna gan fiacail sa drad,
Aintíní, uncail as scannán scéine*
In aird a gceann mar gheilt ag béicíl–
Gadhair bhuile* leo a ligeadar ar an bpáirc
A d'alpfadh tóin nó cos nó lámh–
Bhí na Gráinneoga bochta ar crith ina mbróga
Ach labhair an múinteoir leo go cróga.

'Bailigí timpeall, a Ghráinneoga gheanúla!
Déanaigí neamhshuim* dá lucht leanúna;
Marcáil t'fhear, orlach ná géill
Ach fan id' áit, ná téigh ar strae;
Na cúil ar chúl, tosaithe istigh,
Na fir lár páirce áit ar bith–
Ná géilligí feall*, imrigí glan
Ach más gá, an cam in aghaidh an chaim!
'Sé Seán bhur gCaptaen ar an lá–
Anois, a Chaptaein, cad ba mhaith leat a rá?'

Arsa Seán: '***A chairde, is í an iománaíocht***
A bhuafaidh ar na gruagaigh seo ó Lána an Bháisín;
Bheith níos tapúla chuig an sliotar–
Agus sliotar san aer fanacht don bhriseadh;
Ná féach más féidir ar a n-aighthe;
Seachain a gcamáin is a n-adharca;
Déan an sliotar a phasáil go fial
Agus beidh an bua againne ar deireadh thiar.'

Séidtear an fheadóg –tá an cluiche ar siúl–
Agus láithreach bonn faigheann na Básairí cúl–
(Go fealltach*, caithfidh mé a rá le náire;
Shuigh ceathrar tosaí ar an gcúlbáire).
Dá mbeadh am agam dhéanfainn cur síos
Ar an réiteoir, seanóir, beagnach céad bliain d'aois,
Bhí an réiteoir ar ndóigh i bhfad ón gcúl–

Bhuel, siúlann sé le bata siúil–
Tá sé chomh dall le sciathán leathair* –
Spéaclaí air ba mhó faoi cheathair
Ná spéaclaí Dhaideo; is gan chabhair
A chluasán éisteachta* tá sé bodhar;
Le heitinn* tráth do chaill sé scamhóg;
Ar éigin anáil aige don fheadóg.

Ach tá an liathróid ag ár Seán
Ar ruathar sóló síos an pháirc,
Drong na mBásairí ar a shála–
Éalaíonn sé uathu go slán sábháilte.
Ón gcúl anois tá sé tríocha méadar–
'***Pas beag rófhada do chúl –ach b'fhéidir–?***'
Tá camán an chúlbáire chomh mór le sluasaid* –
Cúlaithe gach taobh –gach bearna dúnta–
Ach feiceann Seán oscailt is i bhfaiteadh na súl
Ropann sé an sliotar isteach sa chúl.
Scréach an cúl báire chuig Seán go garbh:
'***A Ghráinneog ghránna, tá tusa marbh!***'

Níl na Gráinneoga gan lucht leanúna–
Tá scoil na Gráinsí tréigthe* uaigneach–
Múinteoirí, daltaí –bhí an glantóir ramhar ann,
An t-airíoch*, Geanc, ag drumáil ar bhodhrán,
Na cailíní oifige, ag búáil gan náire,
An bainisteoir, sagart, a scread '**Sonc an cúlbáire!**'
Bhí Daid ann, ar ndóigh, taobh thiar den taobhlíne,
Ag rith suas is síos; ba dheacair é shrianadh* –
Mam bhocht siúráilte go marófaí a maicín–
Faoi thrí ar a laghad do thit sí i bhfanntais–
Agus Cáit bheag ag caoineadh –bíonn girseacha faiteach
Is ba scanrúil an cath é amuigh ar an bhfaiche.
Tá Daideo ann freisin, muiníneach* go leor
Go seasfaidh a chamán stró an lae mhóir–

Is dá bhféadfá iad fheiceáil, ná sluaite sióg
As an lios sin sna Gailtí inar fhás an fhuinseog.

Bhí na Básairí uilig ar buile is le báiní–
Chruinníodar mórthimpeall ar Sheáinín i bhfáinne,
A n-aighthe fíochmhara leis ag drannadh*,
Ag iarraidh go soiléir é a mharú
Nó é a phlandáil doimhin sa lathach:
Shleamhnaigh sé faoi chosa Thoirc,
an fathach–
Seo na Básairí anois in aon
ruathar catha
Chuig cúl na nGráinneog–
cúl tá uathu!
Caitheann siad an cúlbáire
thar an trasnán–feall!

Séidtear an fheadóg, ach an réiteoir dall–
Tugann sé an saorphoc don taobh mícheart–
Tá cadhnraí a chluasáin chomh marbh le hArt!

Saorphoc pionóis do na Básairí–
Sa chúl cúlbáire agus beirt chúlaí–
Orthu sa bhearna bhaoil tá Seáinín–
Ag an bhfear urchair tá gach buntáiste:
Béiceann Torc an tosaí i nguth mar thoirneach:
'***Tá an sliotar seo ag dul síos do scornach***'
Buaileann sé buille mar bhladhm thintrí* –
Síleann sé an sliotar bheith i mogaill an lín–
Ach stopann Seán é lena chamán draíochta,
Is pocann amach é –poc fada iontach
A chuireann na Gráinneoga arís san ionsaí.
B'fhiú an iarracht mar faigheann siad pointe.
Tá na Básairí ar fad ar na stártha buile–
Gluaiseann siad le chéile in aon tonn tuile*
Mar chomhbhuainteoir mire i ngort eorna*–
Lena bhfraoch feirge níl aon teora–
Teascann* siad loirgne, cloigne, rúitíní;
Scoilteann siad clogaid, déanann smidiríní
De chamáin na nGráinneog, ach maireann slán
An camán a rinne Daideo do Sheán.
Ag leath-am tá na Básairí dhá chúilín chun cinn
Agus na Gráinneoga briste, brúite, gonta, tinn.
Iontas na n-iontas níl siad ar fad spíonta
Ach an misneach iontu an cath a chríochnú.

Beart nach furasta; sa dara leath
Is fíochmhaire na Básairí ón bpoc amach–
Tagann na Gráinneoga ar ais gach uair
Chun an scór a chothromú, cúilín nó cúl;
Dhá chúilín eatarthu le cúig nóiméad fágtha
Ach mo léan is ag na Básairí atá an buntáiste.

Seo anois iad i ruathar buile
Síos an pháirc in aon tonn tuile,
Na gadhair ag tafann ar a sála–
Tá Torc an tosaí chun cúl a scóráil
A chuirfidh ó bhaol iad –sin atá pleanáilte–
Ach tá Seán ár laochsa arís sa bhearna;
Coinníonn sé a shúil ar an dtosaí fiáin–
Stopann an piléar le bas a chamáin–
Seo amach é mar chú as gaiste*,
An sliotar le bas a chamáin greamaithe–
Tá camáin na mBásairí ar a chlogad ag cnagadh–
Déanann siad gach iarracht Seán a leagan–
Súisteann*, luascann na Básairí buile–
Ag drannadh ar a shála mar ghadhair i gconairt.
Mhair an rith sóló sin fad na páirce:
I stair na hiomána go deo beidh trácht air.

Roimhe tá cúl na mBásáirí ag leathadh
Is a gcúlbáire siúd ina bhróga ag creathadh–
Cúltacaí marfacha mar chlaí ard roimhe–
Lúbann sé, casann sé, ar iompú boise*
Tá sé tríothu; bocann sé an leathar
Ar bhas an chamáin, tógann sé amas* !
Sliotar, cúlbáire le chéile siar scuabann
Le tréanbhuille a chuireann an brat glas ag luascadh
A fhógraíonn cúl: éist gártha an tslua!
Tá an buntáiste acu ach an mbeidh an bua?
Poc amach –pléascann an réiteoir scamhóg
Ag iarraidh scréach a bhaint as an bhfeadóg.
Tá an cluiche thart; ag Seán is a fhoireann
Tá Craobh na mBunscoileanna
agus an Corn.

Déanann Torc an Captaen díreach ar Sheán
Is go flaithiúil síneann amach a lámh.
'***Comhghairdeas; bhuaigh sibh go glan is go cóir!***
Rinneamar ár ndícheall ach dícheall níor leor,
Is ar mhiste libh léintí linne a mhalartú?
An chéad uair eile againne a bheidh an bua!'

Mhalartaíodar léintí; ansin glaodh ar Sheán
Is ar a fhoireann dul in airde ar an ardán;
Bronnadh an corn ar an gCaptaen.
'***Tá áthas orm an corn seo a ghlacadh***
Ach trí gháir mholta hip-hip-hurá
Do na Básairí cróga; tiocfaidh a lá!'

Nuair a chailleann tú cluiche bíonn tú gruama–
Tá na Básairí brónach, agus lucht a leanúna,
Ach i gcluiche ar bith beidh caillteoirí, buaiteoirí,
Is inniu is iad na Gráinneoga atá ag ceiliúradh!
Thart ar an bpáirc ritheann Seán is a fhoireann
Ar chamchuairt chaithréimeach* ag taispeáint an choirn.
Nach ar Dhaid is ar Mham is ar Cháit tá an bród,
Ach tá gliondar ar leith ar an seanleaid, Daideo,

A rinne an camán as fuinseog an leasa,
A chruthaigh chomh maith sin i gcluichí na sraithe.
Le críochnú, mar chruthú nach rabhadar i mbrionglóid,
Bhí pictiúr na nGráinneog sa pháipéar tráthnóna.

Críoch